超難問
すみっコぐらし
まちがいさがし

SHUFU TO SEIKATSU SHA

Oyogeru Nakama

Akogare Nakama

Sampo Nakama

Ochakai Nakama

Nokorimono Nakama

Dots & Stripes Nakama

Soratobu Nakama

Green Nakama

「みんなあつまるんです」テーマ1

Sumikkogurashi™
Minna Atsumarundesu

もんだい

01

SUPER DIFFICULT
PROBLEM

Oyogeru Nakama

Akogare Nakama

Sampo Nakama

Ochakai Nakama

Nokorimono Nakama

Dots & Stripes Nakama

Soratobu Nakama

Green Nakama

Sumikkogurashi™
Minna Atsumarundesu

間違いの数

22コ

答えは
P43

いいね

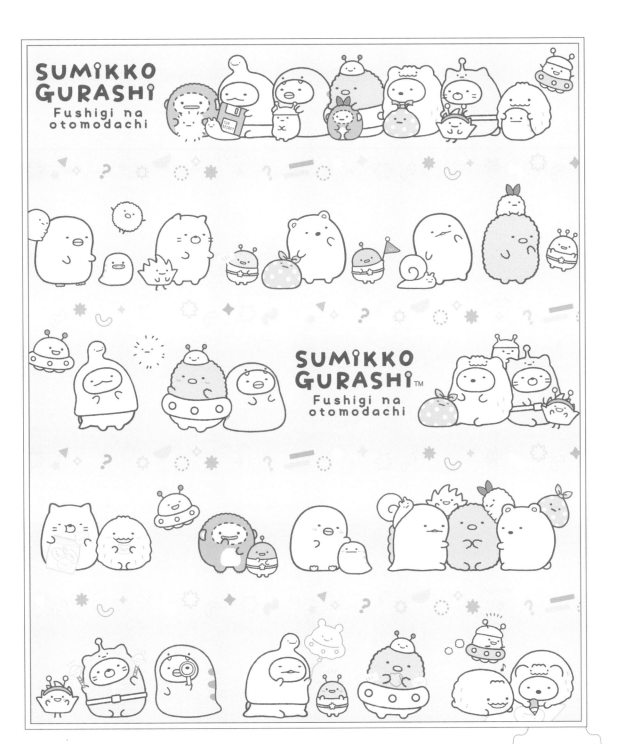

「ふしぎなおともだち」テーマ1

SUMIKKOGURASHI™
Fushigi na otomodachi

もんだい

02

SUPER DIFFICULT
PROBLEM

間違いの数

22 こ

答えは P43

Donoito ga niaukana.

Ami
Ami

Dekita.

Koronjatta...

Okasan doko...?

Sumikkogurashi™
Tokage to okasan to
kirakira na yoru.

 「とかげとおかあさんときらきらな夜」テーマ1

Sumikkogurashi™
Tokage to okasan to kirakira na yoru.

もんだい
03
SUPER DIFFICULT
PROBLEM

Donoito ga niaukana.

Ami

Ami

Dekita.

Koronjatta...

Okasan doko...?

Sumikkogurashi
Tokage to okasan to kirakira na yoru.

答えは
P43

間違いの数
17コ

「うさぎのふしぎなおまじない」テーマ1

Sumikkogurashi
Fushigi na omajinai.

間違いの数
20コ
答えは P43

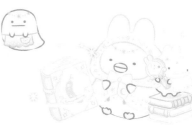

Ouchi de Kuma Café

Sumikkogurashi™

Ouchi Kuma Café de samugari na
Shirokuma o omotenashi.

答えは P44

間違いの数

14コ

すみっコぐらし™ ホテル ニューすみっコ

HOTEL NEW SUMIKKO

歓迎

YUTTARI

3 F
← 335 SUMI ROOM

Retro Hotel

335

SUMI-・

すみっコ サブレ

ホテル ニュー すみっこ

ホテルニューすみっコ

「ホテル ニュー すみっコ」テーマ1

Welcome to
The HOTEL NEW SUMIKKO!

もんだい
06
SUPER DIFFICULT PROBLEM

HOTEL NEW SUMIKKO

すみっコぐらし™ ホテル ニューすみっコ

歓迎

YUTTARI

3F ←335 SUMI ROOM

Retro Hotel

335

SUMI

ホテルニューすみっコ

ホテル ニュー すみっコ

間違いの数
21コ
答えは P44

歓迎

「おばけのナイトパーク」テーマ1

Sumikkogurashi™
Welcome to the Night Park!!

もんだい
07
SUPER DIFFICULT
PROBLEM

「すみっコベビー」テーマ1

間違いの数
24コ
答えは
P44

Sumikkogurashi™

Zasso to yosei no ohanabatake.

「ざっそうとようせいのお花畑」テーマ1

Sumikko gurashi™

もんだい
09
SUPER DIFFICULT
PROBLEM

Sumikkogurashi™
zasso to yosei no ohanabatake.

答えは
P45

間違いの数
16コ

SUMIKKOGURASHI

SUMIKKO GURASHI™
Yokoso! Tabemonookoku.

SUMIKKOGURASHI

SUMIKKO
GURASHI™
Yokoso! Tabemonookoku.

間違いの数
24コ
答えは
P45

てれ…

すてきー!

王子さまみたい!

つちのこ
まぼろしのつちのこ。
つかまっちゃうので
ひっそりくらしている。
にげあしがはやい。

UFO
空をとぶふしぎなコ。
アームについている？
おもしろいものがあったら
すぐつかまえてしまう。

スミランパサラン
ふわふわただようふしぎなコ。
みつけると幸せになれるといわれている。

SUMIKKOGURASHI™
Fushigi na otomodachi

スミエティ
雪山でくらしているといわれているコ。
まだちいさいのでさむさによわい。
こわがられるけどやさしい性格。

スミフット
山でくらしているといわれているコ。
まだちいさいけどあしはおおきい。
こわがられるけどおきらくな性格。

たぴ星人
たぴ星からやってきた。
たぴおかににている。

「ふしぎなおともだち」テーマ2

SUMIKKOGURASHI™
Fushigi na otomodachi

もんだい
11
SUPER DIFFICULT
PROBLEM

- 22 -

つちのこ
まぼろしのつちのこ。
つかまっちゃうので
ひっそりくらしている。
にげあしがはやい。

 UFO
空をとぶふしぎなコ。
アームににている？
おもしろいものがあったら
すぐつかまえてしまう。

スミランパサラン
ふわふわただようふしぎなコ。
みつけると幸せになれるといわれている。

つちのこ
発見

スミエティ
雪山でくらしているといわれているコ。
まだちいさいのでさむさによわい。
こわがられるけどやさしい性格。

スミフット
山でくらしているといわれているコ。
まだちいさいけどあしはおおきい。
こわがられるけどおきらくな性格。

たぴ星人
たぴ星からやってきた。
たぴおかににている。

間違いの数
21コ
答えは
P45

 「とかげとおかあさんときらきらな夜」テーマ2

Sumikkogurashi™

Sumikko gurashi™

Tokage to okasan to kirakira na yoru.

Sumikko gurashi*

Tokage to okasan to kirakira na yoru.

間違いの数

21コ

答えは
P45

Yochi yochi Baby
Sumikkogurashi™

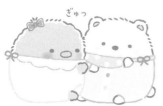

ぎゅっ

「すみっコベビー」テーマ2

Sumikko gurashi™

Yochiyochi Baby
Sumikkogurashi™

間違いの数
15コ

答えは
P46

わーん

Ouchi de Kuma Café
Sumikkogurashi ™
Ouchi Kuma Café de samugari na
Shirokuma o omotenashi.

「おうちでくまカフェ」テーマ２

Sumikkogurashi ™
Ouchi Kuma Café de samugari na
Shirokuma o omotenashi.

もんだい
14
SUPER DIFFICULT
PROBLEM

Ouchi de Kuma Café
Sumikkogurashi™
Ouchi Kuma Café de samugari na
Shirokuma o omotenashi.

間違いの数
22コ
答えは
P46

つぼ風呂

うたせ湯

すな風呂

かけ油

たびおか風呂

zzz...

ぐで〜っ

ほかほか

ふう

335

すみっコぐらし™ ホテルニューすみっコ

「ホテルニューすみっコ」テーマ2

すみっコぐらし™
ホテル
ニューすみっコ

間違いの数
24コ
答えは
P46

「ざっそうとようせいのお花畑」テーマ2

Sumikkogurashi
Zasso to yosei no ohanabatake.

もんだい
16
SUPER DIFFICULT
PROBLEM

- 32 -

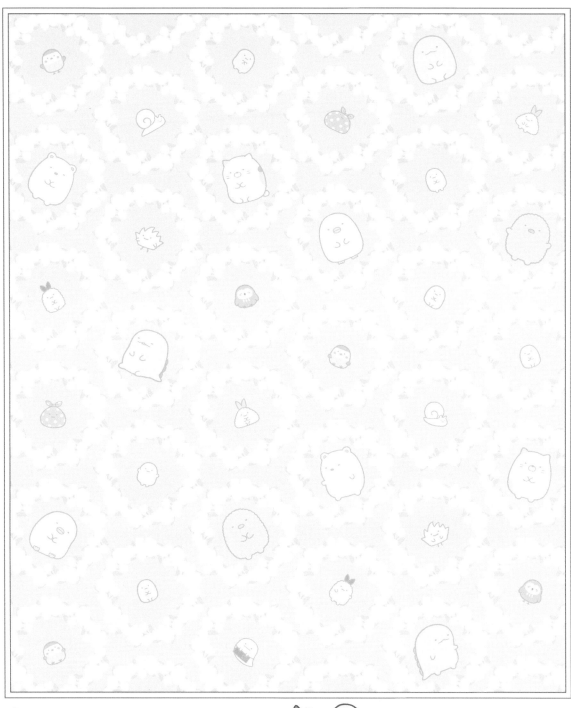

答えは
P46

間違いの数

23コ

T aisetsu na
omoide ga mieru
fushigi na
pendant

S agashimono ga
mitsukaru
fushigi na hon

Sumikko gurashi ™

K okoro no
pokapoka ni naru
fushigi na blanket ~~

A kagure no
sugata ga utsuru
fushigi na
kagami

M otto aishiku nareru
fushigi na
kirakira no
spice

S uteki na yume ga mieru
fushigi na oxukisama lamp

「うさぎのふしぎなおまじない」テーマ２

Sumikkogurashi ™
Fushigi na omajinai.

もんだい

17

SUPER DIFFICULT
PROBLEM

T aisetsu na
omoide ga mieru
fushigi na
pendant.

S agashimono ga
mitsukaru
fushigi na hon.

K okoro no
pokapoka ni naru
fushigi na blended tea.

Sumikko
gurashi™

A kogare no
sugata ga utsuru
fushigi na
kagami.

M otto oishiku nareru
fushigi na
kirakira no
spice.

S uteki na yume ga mireru
fushigi na otsukisama lamp.

20コ
答えは
P47

- 35 -

「おばけのナイトパーク」テーマ2

Sumikkogurashi™
Welcome to the Night Park!! ™

もんだい

18

SUPER DIFFICULT
PROBLEM

間違いの数

25コ

答えは
P47

SUMIKKOGURASHI™

OMELETTE RICE MOUNTAIN

ヤッホー

Mt.Curry and Rice

SODAPOP LAKE

SANDWICH CARRIAGE

わーい

KOMETSUBU

イェーイ

SALAD FOUNTAIN

Let's enjoy!

おすすめかんこうスポットだよ

キリッ

とんかつ王

いいね

「ようこそ!たべもの王国」テーマ2

SUMIKKO GURASHI™
Yokoso! Tabemonookoku.

OMELETTE RICE MOUNTAIN

ヤッホー

Mt. Curry and Rice

SODAPOP LAKE

SUMIKKO GURASHI™

SANDWICH CARRIAGE

わーい

わーい

SUSHI PARACHUTE

KOMETSUBU

イェーイ

SALAD FOUNTAIN

Let's enjoy!

おすすめかんこうスポットだよ

キリッ

とんかつ王

間違いの数

26 コ

答えは P47

SUMIKKO

Sumikkogurashi™
Minna Atsumarundesu

しろくま & ふろしき

しろくまのおちゃ

ぺんぎん(本物) &
ふろしき(ボーダー)

おばけ &
まめマスター

さとう店長 &
さとう副店長

アーム & ふたば

ブラックたぴおか &
たぴおか(レインボー)

すみっコ学園長

たぴおかのらくがき

たぴおか

ぺんぎん?

ぺんぎん?のすきなもの

とんかつ &
えびふらいのしっぽ

ちょうみりょう

あじふらいのしっぽ
& あげだま

パン店長

ガリ & わさび

はずれぼう

こーん

ぽっぷこーん

かわうそ

ほし(ひとで?) &
ほしのさんきょうだい

うみっこ
くまのみ はりせんぼん ひとで
うみねこ えび うみがめ

ほこり & わた

ねこのきょうだい(グレー)

おさかな

ねこ & ざっそう

おさいふ &
ねこかん

ねこのきょうだい(トラ)

とかげ(本物)
& きのこ

くり

とかげ &
にせつむり

とかげの
たからもの

すずめ & ふくろう

もぐら

うさぎマイスター

みならいこうさぎ

いぬ & こいぬ

おにぎり

やま

すなやま

しゅうごーう

「みんなあつまるんです」テーマ2

Sumikkogurashi™
Minna Atsumarundesu

もんだい
20
SUPER DIFFICULT
PROBLEM

Sumikkogurashi™
Minna Atsumarundesu

しろくま & ふろしき

しろくまのおちゃ

ぺんぎん(本物) &
ふろしき (ボーダー)

おばけ &
まめマスター

さとう店長 &
さとう副店長

アーム & ふたば

ブラックたぴおか &
たぴおか (レインボー)

すみっコ学園長

たぴおかのらくがき

たぴおか

ぺんぎん?

ぺんぎん?のすきなもの

とんかつ &
えびふらいのしっぽ

ちょうみりょう

あじふらいのしっぽ
& あげだま

パン店長

ガリ & わさび

はずれぼう

こーん

ぽっぷこーん

かわうそ

ほし(ひとで?) &
ほしのさんきょうだい

うみっコ
くまのみ はりせんぼん ひとで
うみねこ えび うみがめ

ほこり & わた

ねこのきょうだい (グレー)

おさかな

ねこ & ざっそう

おさいふ &
ねこかん

ねこのきょうだい (トラ)

とかげ(本物)
& きのこ

くり

とかげ &
にせつむり

とかげの
たからもの

すずめ & ふくろう

もぐら

うさぎ マイスター

みならいこうさぎ

いぬ & こいぬ

おにぎり

やま

すなやま

間違いの数
25コ

答えは
P47

すみっコ
リスト
· · · · · · · · ·
SUMIKKO
LIST

とかげ
じつはきょうりゅう
の生きのこり。つか
まっちゃうので、と
かげのふり。

ねこ
はずかしがりやで体型
を気にしている。気が
弱く、よくすみっこを
ゆずってしまう。

とんかつ
とんかつのはじっこ。
おにく1％、しぼう99
‰。あぶらっぽいから
のこされちゃった…。

ぺんぎん？
自分はぺんぎん？自
信がない。昔はあた
まにお皿があったよ
うな…。

しろくま
北からにげてきた、
さむがりでひとみし
りのくま。

ざっそう
いつかお花屋さんでブーケ
にしてもらう！という夢を
持つポジティブな草。

ふろしき
しろくまのにもつ。すみ
っこのばしょとりや、さ
むい時に使われる。

ブラック
たぴおか

たぴおか
ミルクティーだけ先にの
まれてのこされてしまっ
た。ひねくれもの。

えびふらいのしっぽ
かたいから食べのこさ
れた。とんかつとはこ
ころつうじる友。

やま
ふじさんにあこがれてい
る、ちいさいやま。ふじ
さんになりすましている。

おばけ
屋根裏のすみっこにすんで
いる。こわがられたくない
ので、ひっそりとしている。

すずめ
ただのすずめ。とんか
つを気にいってついば
みにくる。

ほこり
すみっこによくたまる、
のうてんきなやつら。

にせつむり
じつはカラをかぶっ
た、なめくじ。うそつ
いてすみません…。

ちからもち
ものまねが
得意
あそぶのが
すき

元気っこ
ひとみしり
ぼんやりや

おばけのなかま
おばけといっしょにナイト
パークでバイトをしている。

みならいこうさぎ
うさぎマイスターといっしょにおにわばん
をしている、みならいのこうさぎたち。

うさぎマイスター
ご主人のおにわばんをしている。
お茶とお花を育てるのがとくい。

こめつぶ
ちゃわんのすみにの
こされて王国へやっ
てきた。

みにとまと
おべんとうでのこされ
たけど王国での生活を
楽しもうとしている。

とんかつ王
たべもの王国の王さま。昔スー
パーでとんかつといっしょに、
売れのこっていた。

とかげの
おかあさん
きょうりゅうの生きの
こり。海のすみっこでくら
している。とてもやさし
い、おかあさん。

こたえ
02
間違いの数 **22** コ

「ふしぎなおともだち」テーマ1

こたえ
01
間違いの数 **22** コ

「みんなあつまるんです」テーマ1

こたえ
04
間違いの数 **20** コ

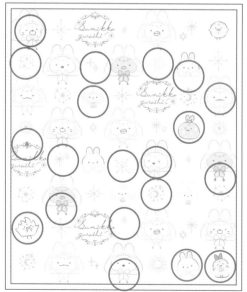

「うさぎのふしぎなおまじない」テーマ1

こたえ
03
間違いの数 **17** コ

「とかげとおかあさんときらきらな夜」テーマ1

こたえ
06
間違いの数 **21** コ

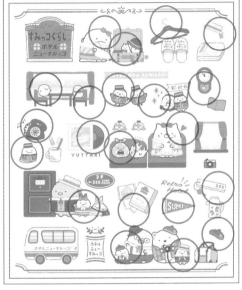

「ホテル ニュー すみっコ」テーマ1

こたえ
05
間違いの数 **14** コ

「おうちでくまカフェ」テーマ1

こたえ
08
間違いの数 **24** コ

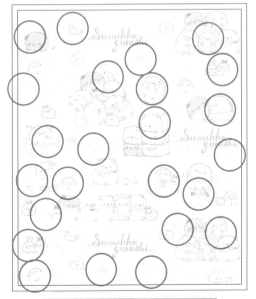

「すみっコベビー」テーマ1

こたえ
07
間違いの数 **18** コ

「おばけのナイトパーク」テーマ1

「ようこそ!たべもの王国」テーマ1

「ざっそうとようせいのお花畑」テーマ1

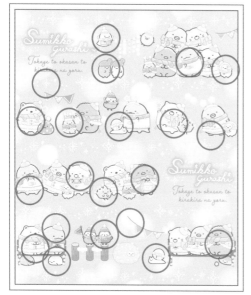

「とかげとおかあさんときらきらな夜」テーマ2

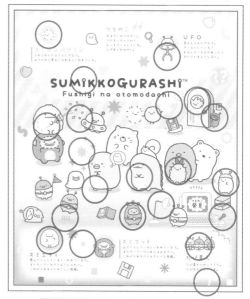

「ふしぎなおともだち」テーマ2

こたえ
14
間違いの数 22 コ

「おうちでくまカフェ」テーマ2

こたえ
13
間違いの数 15 コ

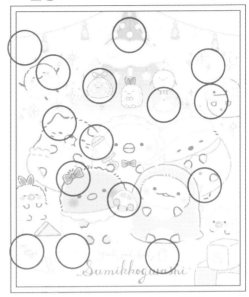

「すみっコベビー」テーマ2

こたえ
16
間違いの数 23 コ

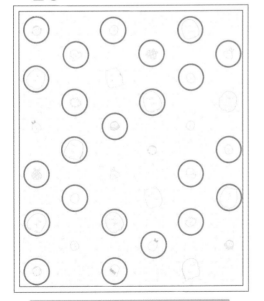

「ざっそうとようせいのお花畑」テーマ2

こたえ
15
間違いの数 24 コ

「ホテル ニューすみっこ」テーマ2

こたえ
18
間違いの数 **25**コ

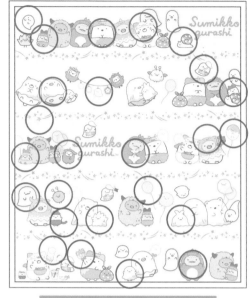

「おばけのナイトパーク」テーマ2

こたえ
17
間違いの数 **20**コ

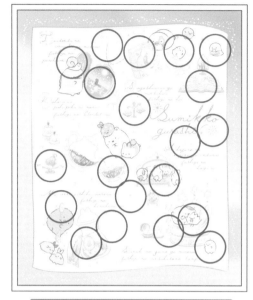

「うさぎのふしぎなおまじない」テーマ2

こたえ
20
間違いの数 **25**コ

「みんなあつまるんです」テーマ2

こたえ
19
間違いの数 **26**コ

「ようこそ!たべもの王国」テーマ2

超難問 すみっコぐらし まちがいさがし

編　者　主婦と生活社
編集人　青木英衣子
発行人　殿塚郁夫
発行所　株式会社主婦と生活社
　　　　〒104-8357　東京都中央区京橋3-5-7
　　　　編集　03-3563-5133
　　　　販売　03-3563-5121
　　　　生産　03-3563-5125
　　　　ホームページ　https://www.shufu.co.jp
印刷・製本　大日本印刷株式会社

SAN-X ホームページ　https://www.san-x.co.jp

デザイン　前原香織(MMMorph)
編集　斉藤正次　大久保歩